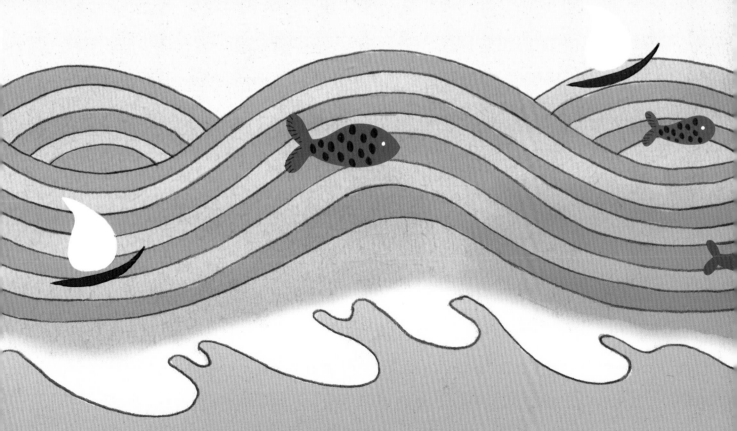

Titre original du texte : « Homme-Requin le serviteur »
Extrait d'un recueil de textes, *Xieduo* (« À la manière des classiques »), de Shen Qifeng, publié en Chine en 1792.
La présente traduction a bénéficié de l'aide précieuse d'Hélène Kerillis. Qu'elle soit ici chaleureusement remerciée.

Coordination : Loïc Jacob
Texte : Shen Qifeng
Traduction : Chun-Liang Yeh
Illustrations : Gaëlle Duhazé
Relecture : Sophie Harinck
Graphisme : Hsiao-Han Yao
Publié par les éditions HongFei Cultures
Champs-sur-Marne, France | www.hongfei-cultures.com
ISBN : 978-2-35558-015-4
Dépôt légal : septembre 2009
Imprimé et relié à Taïwan
Conforme à la loi n° 49-956 du 16 juillet 1949 pour les publications destinées à la jeunesse.

Homme-Requin

Texte de Shen Qifeng
Images de Gaëlle Duhazé

HongFei

Jing aimait se promener sur la plage
au clair de lune et rêver à mille choses.

Jing avait vécu pendant trois ans dans la province côtière de Fujian, dans le sud-est de la Chine. Devenu marin, le jeune homme avait fait fortune lors d'une expédition au large de l'île Formosa et s'était installé comme négociant dans un village. Un soir, lors d'une promenade le long du rivage, il aperçut une silhouette immobile étendue sur le sable. Il s'en approcha. Était-ce un homme ? Mais alors un homme comme il n'en avait jamais vu, avec des yeux verts, des cheveux bouclés et une peau très foncée. Si les fantômes existent, ils doivent lui ressembler. Intrigué, Jing l'interpella :

— Qui es-tu ?

— Je réponds au nom d'Homme-Requin.

Jing resta muet de stupéfaction tandis que l'étrange créature lui confiait son histoire.

Homme-Requin venait du Palais cristallin, au fond de la mer. Là-bas, il était chargé d'une tâche importante et délicate : filer de la soie pourpre et réaliser la robe de mariée pour la princesse Qionghua.

— J'avais presque terminé cette robe sublime lorsque mes doigts trop pressés ont cassé la navette ornée de neuf dragons. Dans la confusion, j'ai rompu par mégarde le ruban de perles qui cernait la robe. Une vraie catastrophe !

Les perles s'étaient éparpillées aux quatre extrémités de l'océan. Désespéré, Homme-Requin s'était lancé à leur recherche sans jamais les retrouver.

— J'ai tellement honte ! Comment retourner au Palais cristallin, dans ces conditions ?

Touché par la détresse d'Homme-Requin, Jing demanda :

— Tu n'as nulle part où aller ?

— Nulle part... Mais... mais si vous acceptiez de m'engager, je vous en serais reconnaissant toute ma vie !

Jing emmena Homme-Requin chez lui.

Homme-Requin n'exprimait jamais de désirs. Il ne montrait pas non plus d'aptitude particulière pour les tâches domestiques dans la maison de Jing. Il avait toutefois une habitude singulière qui consistait à prendre un bain dans l'étang chaque soir après le dîner. Il restait ensuite accroupi tout seul dans un coin sombre, le visage grave et sans prononcer un mot. Pénétré d'une profonde pitié pour cet être solitaire, Jing lui demandait peu de services.

Quelque temps plus tard, Jing se rendit au Temple des Fleurs pour l'anniversaire du Bouddha. Il présentait ses offrandes quand la grâce lui apparut en personne : resplendissante comme la lune se dégageant des nuages, une jeune fille était absorbée dans sa prière, et ses mains jointes avaient la délicatesse d'une fleur de lotus. Avec la vieille femme qui l'accompagnait, elle s'inclina ensuite une dernière fois devant le Bouddha et quitta le temple.

Charmé par la belle jeune fille, Jing lui emboîta le pas. Il aboutit dans une ruelle étroite et se renseigna auprès des voisins. Elle et sa mère portaient le nom de Tao et habitaient auparavant dans le pays de Wu. Mais à la mort du père, les deux femmes furent persécutées par les chefs locaux. Elles déménagèrent et finirent par trouver refuge dans une petite maison de cette ruelle.

Jing apprit la situation des deux femmes avec un certain plaisir : jeune négociant promis à un bel avenir, il ne serait pas à court d'arguments pour obtenir la main de la jeune fille.

Sûr de lui, Jing frappa à leur porte et se présenta à la mère sans cacher ses intentions :

— Avec moi, vous mènerez toutes les deux une vie confortable.

— Peut-être... fit la mère en souriant. Cependant, nous ne pouvons accepter !

— Pourquoi donc ? Vous voulez garder jalousement votre précieux trésor ? Et en faire une vieille fille ?

— Pour du jade aussi précieux, comme vous dites, il est permis d'exiger un prix élevé, n'est-ce pas ?

— Comment cela ?

— Ma fille s'appelle Wanzhu, c'est-à-dire Dix-Mille-Perles. Elle ne consentira à donner sa main qu'à celui qui lui offrira dix mille perles.

— Dix mille perles !?

— Pas moins. Ou bien vous vous fatigueriez pour rien !

Jing s'en retourna chez lui, abasourdi. L'image de Wanzhu lui apparaissait, plus belle que dix mille fleurs de lotus. En même temps, il entendait la voix de la mère qui martelait : « Dix mille perles ! »

« Même si je vendais tout ce que je possède, se disait Jing, je ne pourrais jamais réunir autant de ces maudites perles ! »

Obsédé par l'image de Wanzhu, accablé par le prix à payer, il allait et venait dans sa maison, sans but, traçant des gestes dans l'air et ruminant toute la journée. Pendant la nuit, il était assailli par des cauchemars qui le laissaient sans force.

Au bout de dix jours de ce régime, Jing n'en pouvait plus.
Il était si faible qu'Homme-Requin s'alerta et appela plusieurs médecins à son chevet. Leur diagnostic fut toujours le même :

— On peut trouver des remèdes à toutes sortes de maladies. Mais c'est le mal d'amour qui tient ce pauvre jeune homme. Et à cela, la médecine ne peut rien !

Après le départ des médecins, Homme-Requin se pencha vers le maître qu'il veillait fidèlement :

— Je vous en supplie, revenez à la vie !
Jing secoua lentement la tête en murmurant :

— Impossible... Je mourrai d'amour, c'est mon destin.
Puis il posa les yeux sur Homme-Requin et dit :

— C'est pour toi que je m'inquiète... toi qui viens des profondeurs de la mer et qui t'es fié à moi, que vas-tu devenir quand je ne serai plus là ?

Que son maître, sur le point de rendre l'âme, se soucie encore de lui ! C'en fut trop pour Homme-Requin : il fut submergé de désespoir et éclata en sanglots.

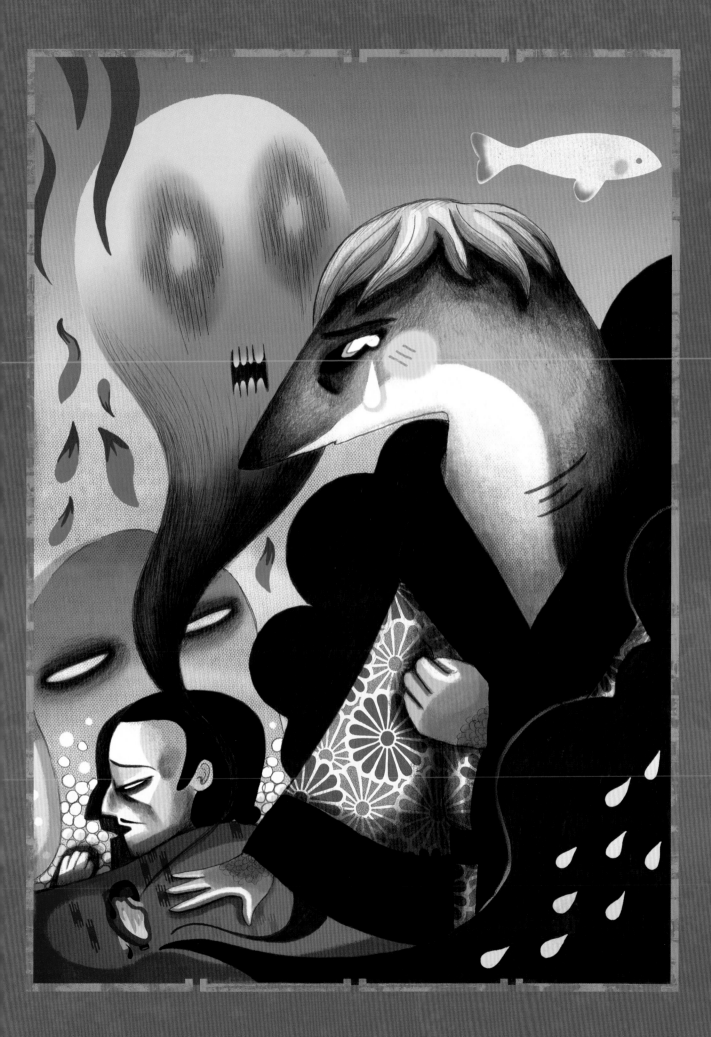

Une à une, les larmes d'Homme-Requin tombaient par terre. Mais au lieu de s'écraser en touchant le sol, toutes se changeaient en perles aux reflets nacrés ! Elles rebondissaient et roulaient avec un tintement joyeux !

— Des perles ?! s'écria Jing, croyant rêver. Ce sont bien des perles que j'entends ! Alors me voilà guéri !

Le malade se redressa si brusquement qu'il fit sursauter Homme-Requin. Jing lui confia alors ce qu'exigeait la mère de Wanzhu et conclut :
— Et dire que toutes ces souffrances m'auraient été épargnées si j'avais eu tes larmes plus tôt !

Tout heureux, Homme-Requin se mit à ramasser les perles qui avaient roulé à travers la pièce. Il les compta. Hélas! Il n'y en avait que neuf mille !

— Tu es sûr ? demanda Jing.

Homme-Requin eut beau recompter et fureter dans tous les coins, il manquait toujours mille perles pour sauver son maître.

— Que mon maître est un homme impétueux ! S'il avait su cacher sa joie un instant de plus, j'aurais certainement pu pleurer jusqu'à ma dernière larme !

— Et si tu essaies de pleurer encore un peu ? hasarda Jing.

— Nous, les hommes-requins, ne sommes pas comme les hommes hypocrites qui vivent sur terre. Nous n'avons pas deux visages. C'est du fond du cœur que viennent nos larmes comme nos rires. Il m'est impossible de pleurer sans un chagrin véritable.

L'intégrité d'Homme-Requin alla droit au cœur de Jing.

— Je te remercie infiniment. Tu as tant fait pour moi !

Puis il se tut. Avec ses neuf mille perles, il n'était pas tout à fait sorti d'affaire.

— Tout n'est pas perdu... Demain, allons au belvédère de la Contemplation de la Mer avec un pichet de vin. Je trouverai bien un moyen d'être utile à mon maître...

Jing suivit le conseil de son serviteur. Le lendemain matin, il se fit accompagner par Homme-Requin pour monter au belvédère qui surplombe la mer. Devant eux, elle s'étendait à l'infini, tandis que la brume et les vagues se confondaient pour ne faire qu'un.

Bientôt, Homme-Requin s'enivra avec le vin et esquissa les mouvements ondulants de la danse des poissons, comme il le faisait autrefois au Palais cristallin. Ses yeux verts ne cessaient de parcourir la surface de la mer, de la falaise de terre rouge au sud aux reflets d'azur au nord, ou encore aux monts de l'est voilés de nuages.

« Monde vaste et désert ! Où es-tu, mon pays natal ? »
soupira Homme-Requin.
Une profonde nostalgie lui serrait le cœur. Il leva ses mains
tandis que de ses yeux coula un torrent de perles.

Jing se mit aussitôt à les recueillir. Il en remplit un plat de jade.

— Ça suffit ! Il y en a assez !

— Mon chagrin vient du cœur. Inutile de vouloir l'arrêter !

Les larmes d'Homme-Requin cessèrent quand il fut apaisé. Jing, empli de joie, se prépara à rentrer chez lui avec son serviteur. Mais Homme-Requin leva un bras vers la mer à l'est et dit :

— Maître ! Voyez-vous ces douze mirages pourpres monter au-dessus des nuages ?

— En effet, je les vois...

— C'est le signe que ce soir, la belle princesse Qionghua se marie ! Elle épouse son fiancé, l'Immortel Pêcheur de tortues de l'île aux Coraux.

— Tu y es donc convié ?

— Oui. Et cela signifie également que mon exil est terminé. Les douze mirages sont là pour me montrer le chemin du retour. Permettez-moi de vous quitter !

Comment refuser ? Le cœur serré, Jing rendit sa liberté à la créature venue des profondeurs de la mer. Homme-Requin sauta du haut du belvédère. La mer l'engloutit. Plus jamais on ne le revit.

Le lendemain, Jing se rendit chez la veuve Tao pour demander de nouveau la main de Wanzhu. À la vue des perles, la vieille mère rit :

— Voilà un homme fidèle à sa passion ! Si je vous ai demandé dix mille perles, c'était pour vous mettre à l'épreuve. Vous êtes dévoué à votre amour, cela seul compte.

Elle refusa les perles en ajoutant :

— Croyez-vous vraiment que je vendrais ma fille ? Pas question de m'exposer à une telle honte !

Jing et Wanzhu célébrèrent leur mariage sans jamais oublier le fidèle serviteur qui avait fait leur bonheur. Plus tard, quand le jeune couple eut un fils, il le nomma Mengjiao, « Rêve-de-Requin ».

POSTFACE

Homme-Requin est une traduction en langue moderne d'un texte écrit en chinois classique par SHEN Qifeng au XVIIIᵉ siècle, sous le titre original « Homme-Requin le serviteur ».

La Chine a un littoral long de près de quinze mille kilomètres. Les mers et les océans jouent donc un rôle important dans l'histoire et la vie économique du pays. Cependant, les Chinois restant très attachés à leurs racines terriennes, l'évocation de la mer en littérature sort toujours le lecteur de son existence quotidienne pour le transporter dans un monde extra-terrien, extra-territorial et extra-ordinaire. Le mythe d'Homme-Requin s'inscrit dans ce contexte culturel propice au fantastique.

Si la figure captivante d'un pleureur de perles des bords de mer n'est pas étrangère à la poésie chinoise, SHEN Qifeng donne chair et âme à ce personnage mystérieux. Dans le récit, Homme-Requin a certes le pouvoir magique de pleurer des perles, mais il est surtout doté d'un sens profond de l'intégrité le distinguant de l'hypocrisie qui règne trop souvent dans les relations humaines.

Il est remarquable dans cette histoire qu'Homme-Requin ne soit vu et connu que par un seul homme sur terre, Jing, avant de repartir dans les profondeurs de la mer. L'intégrité qui caractérise Homme-Requin ne peut-elle alors se comprendre comme une qualité potentiellement présente en chacun de nous, de celles qui nous servent comme le plus fidèle des serviteurs ?

Chun-Liang YEH et Loïc JACOB, éditeurs

QUELQUES MOTS POUR COMPRENDRE LES CHINOIS

Le titre chinois du texte de SHEN Qifeng, *Homme-Requin le serviteur*, s'écrit 鮫奴 [jiao nu].

Le caractère 鮫 [jiao] signifiant « requin » est un idéo-phonogramme formé par l'association d'un signe utilisé pour signaler le sens et d'un autre pour le son. Quatre-vingt-dix pour cent des caractères chinois ont été créés grâce à ce mode opératoire efficace.

En l'occurrence, pour représenter le requin, qui se dit [jiao], les Chinois ont écrit le caractère 交 qui se prononce [jiao] tout en l'accompagnant de la clef « poisson » 魚 [yu], figurant les écailles et la queue de l'animal. Le premier caractère donne le son, le seconde le sens.

Le caractère 奴 [nu], traduit par « esclave » ou « serviteur », est composé des signes 女 [nü] signifiant « femme » et 又 [you] dérivant d'un dessin de la main. Il existe plus d'une interprétation possible de cette construction. Le caractère « femme » est souvent regardé comme décrivant une personne à genoux, les deux mains liées en signe de soumission. Toutefois, une autre lecture suggère qu'il s'agirait d'une personne assise sur ses talons, les bras croisés au-dessus des cuisses, dans la position solennelle d'un individu de rang prestigieux et qui ne travaille pas. Cette explication découle de ce que, dans la Chine antique, les femmes auraient commandé aux hommes, 男 [nan], qui eux exerçaient leur force physique, 力 [li], dans les champs, 田 [tian].

Avec la figure d'une main apposée à celle de la femme, la composition du caractère 奴 [nu] reste une énigme. Représente-t-il un être soumis empoigné de force ? Ou bien, au contraire, la main au service d'un maître ? Ou encore une main qui, symboliquement, porterait atteinte au statut du maître ? L'enquête est passionnante.

SHEN Qifeng, lettré chinois de la dynastie des Qing (1644-1911), est originaire de la province de Jiangsu. Il est connu pour son recueil de textes intitulé *Xieduo* (« À la manière des classiques ») publié en 1792. On y trouve une centaine d'histoires fantastiques mêlant le surnaturel aux réalités socioculturelles de son époque. Transcrites en langue moderne, elles se distinguent par l'expression étonnamment actuelle de la psychologie de personnages qui évoluent dans une intrigue construite avec finesse et intelligence.

Gaëlle DUHAZÉ est une artiste autodidacte diplômée de troisième cycle en histoire de l'art. Dans ses créations, elle développe pour la jeunesse un univers peuplé d'esprits et de formes organiques où se mêlent sensibilité et humour. Illustratrice de *Mûres mûres* (HongFei 2008), elle exerce également son talent créateur en collaboration avec l'agence internationale de communication Costume 3 pièces.

HongFei Cultures (鴻飛東西文化交流事業) est une maison d'édition interculturelle créée en France en 2007. Elle a comme objectif de favoriser la rencontre des cultures européennes et extrême-orientales par la littérature augmentée d'illustrations originales. En privilégiant la littérature de jeunesse, ses publications ont comme thèmes principaux le voyage et la relation à l'autre.

Collection CARACTÈRES CHINOIS

Traduction inédite de classiques chinois
mettant en scène des caractères ardents
animés par la passion.

Dans la même collection

TIGRE LE DÉVOUÉ
texte de SHEN Qifeng, images d'Agata KAWA

YIN LA JALOUSE
texte de SHEN Qifeng, images de Bobi + Bobi